2
Carnage au jardin

Papa revient de la gare avec
tata Cyclone, qui lance :
– Salut, les nains! Tout
est minuscule, chez vous,
saperlipopette! Voiturettes,
maisonnettes, trottinettes!
Ridicule! Archi-nul!
Matoupeste, elle démarre
fort, Simone!

– Et vous trouvez quoi, dans vos superettes! Des clopinettes, je parie! Vous devez mourir de faim, mes chérubins! Regardez mon cabas! Tout vient de mon jardin!

Moi,
Thérèse Miaou

Pourquoi
tu tousses, Tata ?

écrit par Gérard Moncomble
illustré par Frédéric Pillot

HATIER POCHE

1
La chasse aux poils

Moi, la sieste, j'adore. Je fais
dodo n'importe où. Tout est bon
pour le ronron. Aujourd'hui, c'est
dans le tricot de maman. Miam.

Soudain, *dring-dring-dring*!
Tu parles d'un réveil en fanfare,
matoupétard!

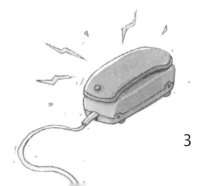

Papa attrape
le téléphone.
– Tata? Dans
une heure?
Clic. Fini.
On a raccroché.
– Tata Simone
débarque pour le week-end,
bafouille-t-il.
Et il me flanque dans la boîte
à chats, *clic-clac*! C'est quoi,
ce micmac? Maman explique :
– Tata Simone est allergique
aux chats. Très. On va t'isoler,
Thérèse. Désolée.

Hein? C'est l'allergique qu'on
devrait isoler, oui. Je suis chez
moi, ici, matoupristi!
– On l'appelle tata Cyclone,
bredouille papa. Un caractère
d'enfer. Mais c'est ma tata.

– Je ne veux plus un seul poil
dans cette maison! hurle papa.

Au secours! Ces zinzins vont me raser! Me ratiboiser la boule à zéro!

Ouf! Ils ont l'air de m'oublier. Je les vois s'agiter dans la cuisine. Nettoyage! Récurage! Brossage! Gros remue-ménage!

Zou! le trio fonce à l'étage.
Couettes et moquettes, tapis
et dessus de lit, tout y passe!
Puis ils effacent mes traces,
ces bécasses! Matoucrasse!
Je suis bonne pour
la casse!

Enfin, pas tout à fait. Mais on m'isole! On me confine! Comme un vulgaire poulet contaminé!

Je rejoins l'assemblée des objets déglingués. Canapé, machine à laver, vieux jouets!
Tout ça à cause d'une tata allergique!
Tragique!

– Du gazon? Vous êtes fous, mes
roudoudous! Il faut un potager,
ici! Rempli de légumes!
Papa rit, maman pouffe. Quelle
taquine, la tantine!

Pas du tout! C'est du sérieux!
– J'ai tout prévu, mes dodus!
Bêche, râteau! Binette, sarclette,
serfouette! J'ai même pris ma
salopette!

– Bêche, neveu, bêche! Moi,
j'enlève les fleurs! Ça prend de
la place et ça sert à rien!
Houlà! Une vraie cata, la tata!
Du coup, j'apprécie
d'être à l'abri.

Autour de la maison, plus un poil de gazon. Le sol est bêché, retourné, ratissé. Tata Cyclone triomphe.

– Demain, neveu, je plante! Navets, potirons, panais, cornichons. Et des laitues! Qu'en penses-tu?

Papa se tait, vaincu. Abattu.
Comme maman, comme
Suzanne.

Allergie ou pas, il est temps que
je m'en mêle!

3
À chamboule-thé

Sortir de ma prison est un jeu
d'enfant. En trois petits sauts,
hop! hop! hop! me voilà libre
comme l'air.
J'ai un plan anti-tata en tête.
Mathieu le Pouilleux, Croque-
Poubelle et Pépé La Sardine en
font partie! Et aussi tous leurs
amis.

Sus à l'ennemi!

Me voici de retour. Tout est calme, c'est l'heure du thé. Idéal pour attaquer.

On commence par faire
diling-diling! Papa accourt.
– Étrange! grogne-t-il. On sonne
et y a personne!

Oh que si! Mon armée d'excités!
Une cohue de poilus, de griffus!
Qui se faufilent ici, déferlent là,
enfiévrés, échauffés!
Allez, les minets!

Tata Cyclone est bousculée, submergée.

– Faites sortir ces canailles! braille-t-elle.

Pas facile de se débarrasser de nous, les matous!

Tata éternue! Tata tousse! Tata tempête :
– Ouvre la fenêtre, neveu! De l'air! De l'air!
Rouge brique, la tata! Les yeux qui piquent, qui pleurent, qui pissent.
Un vrai feu d'artifice!

– Je ne reste pas une minute de plus dans ce trou à chats! Ce nid de crapules à poils! D'assassins en peau de lapin! Neveu, conduis-moi à la gare!

Bye-bye, Simone!

Tata partie, qui rentre au pays ?
Bibi, pardi ! Suzanne me porte en
triomphe jusqu'au salon.

Papa et maman ont des têtes d'allergiques. Suzanne s'inquiète.
– Poils de chats?
– Non, glousse maman. Poils des feuilles de platane!
J'aime mieux ça. Jouer au poulet confiné, ça va cinq minutes, matouzut!

As-tu une mémoire d'éléphant?

1. Que grignote papa en lisant le journal?

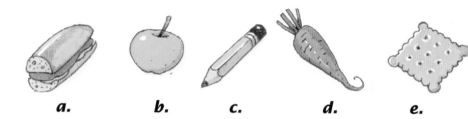

a.   **b.**   **c.**   **d.**   **e.**

2. À quoi ressemble le bouquet de fleurs dans le salon?

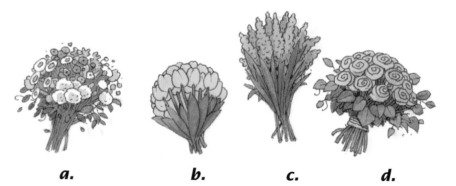

a.   **b.**   **c.**   **d.**

3. Parmi ces fruits et légumes, lesquels tata Cyclone a-t-elle apportés chez les papa-maman?

a.   b.   c.   d.   e.   f.

4. Quelle forme a la théière de maman?

a.   b.

c.   d.

Salut! Moi, c'est **Thérèse**. La Thérèse en vrai, avec des poils et des moustaches. Je vis avec Gérard Moncomble et sa famille dans une grande maison à la campagne. J'ai des croquettes, un coussin et je dors toute la journée. Le bonheur, ça s'appelle.

Ça, c'est **Frédéric**, **Gérard** et moi. Le grand blond me dessine avec ses crayons et ses pinceaux. Le barbu raconte mes histoires. En plus, ils me caressent tout le temps.

Hé, ho! Moi aussi, je peux faire ma star, hein! Pour qui elle se prend, celle-là?

HATIER
POCHE

POUR DÉCOUVRIR :

> **des fiches pédagogiques** élaborées par les enseignants qui ont testé les livres dans leur classe,
> **des jeux** pour les malins et les curieux,
> **les vidéos** des auteurs qui racontent leur histoire,

rendez-vous sur

www.hatierpoche.com

Responsable de la collection :
Anne-Sophie Dreyfus
Direction artistique, création graphique
et réalisation : DOUBLE, Paris
© Hatier, 2016, Paris
ISBN : 978-2-218-99614-6
ISSN : 2100-2843
Tous droits de reproduction
et d'adaptation réservés pour tous pays.
Loi n° 49956 du 16 juillet 1949 sur
les publications destinées à la jeunesse.
Achevé d'imprimer par Clerc à Saint-Amand-Montrond - France
Dépôt légal : n°99614-6/01 - avril 2016

PAPIER À BASE DE
FIBRES CERTIFIÉES

Hatier s'engage pour l'environnement en réduisant l'empreinte carbone de ses livres. Celle de cet exemplaire est de : 150 g éq. CO$_2$ Rendez-vous sur www.hatier-durable.fr